JUMP COMICS

DRAGON BALL

ドラゴンボール

巻四十二　バイバイ　ドラゴンワールド

鳥山 明

DRAGON BALL 42

バイバイ ドラゴンワールド

MOKUJI

もくじ

くっくっく……
勝利こそすべてなのは
おまえとて　おなじこと
だろう……

…まあ
そう絶望的に
なることもなかろう
すぐ楽にしてやる
…ほんの少し
苦しむだけだ…

よ…！
なんでまだ
魔人ブウが
生きてるのだ…!?

ちくしょう…
やっぱデンデとじゃ
ダメだろうな

ち…
よりによって
ミスター・サタンしか
いねえとは…

まずいぞ
もう拳銃の
弾がないんだ!!
とどめを
させない…!!

…そ…
…そうですか

ダ…ダメだ
サタンとじゃ…
1000の力が
1001になったって
勝てやしねえ…
いやヘタすっと
今より
弱くなるんじゃ
ねえか…!?

心やさしい　わたしは
おまえに　合体のチャンスを
あたえてやろう

5秒だけ
待ってやる
どっちと
合体するか
決めるんだな

8

14

またひとり
大_{おお}きなパワーの
人間_{にんげん}が
ふえたな!!

ち
近_{ちか}づいてる!!

………
………

気_きに
いらんのだ

え!?

だが しょせん
わたしの敵_{てき}では
ないたとえ
合体_{がったい}したところでな
!!

たのむ ベジータ
このポタラを
つけてくれ!!
こだわってるばあいじゃ
ねえなあっ!!
終_おわっちまうんだぞ
なにもかも…!!

はっ──っ!!

みつけたぞ!!

よこせ!!
はやく

べ…………ベジータ!!!!

ち…ちくしょう
右耳だったな…!!

17

18

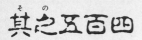
天下無敵の合体おとうさん

ふん
・・・
・・・

バカめ！！！

なんだ その得意そうな ツラは…

いまのを はねかえしたぐらいで いい気になってるのか？

きさま なんぞに…

鼻血が
出てるぞ

前みたいに
鼻がないほうが
よかったんじゃないか?

なんだよ

…オレを
おこらせれば
おこらせるほど

ふん…

きさまは苦しんで
死ぬことになるぞ
わかって
やってるのか?

27

28

ス
・・・・

アホタレ
あの二人じゃったから
ここまでいけたんじゃい
あの世もこの世も含めて
3本の指に入る
達人の中の二人が
合体したんじゃからの

しかもライバル同士が
組んだんじゃ そりゃ
最強にきまっとるわい

ポタラによる
合体がここまで
すごいものとは…!!

つっ強い!!!
あの魔人ブウが
手も足もでない
!!!

きさまは目で追うからオレの動きについてこれないんだ

重要なのは気の強さや動きをつかむことだ

はっ!!

サッ

ちくしょう

ち……

……ちくしょう

ゲゲゲゲゲ……

な…なにをしておるんじゃ…！！

きれいさっぱり消えてしまえばさすがにもうもとには
もどれないだろ？

そのうちこいつを本体にくらわしてやるさ

消えてしまってるいまだ！！いますぐ消すんじゃよ！！

こいつはゲームじゃない！！

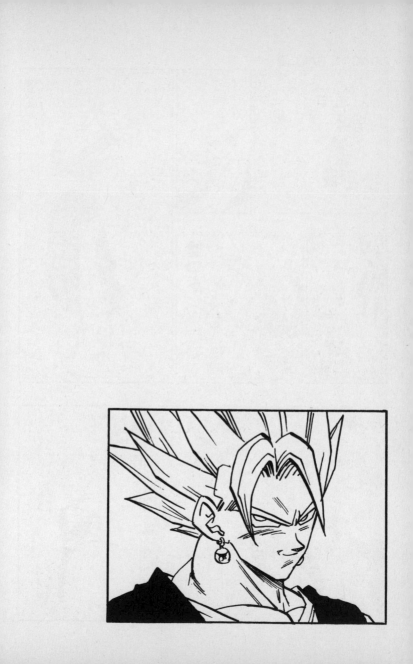

挑発するベジット

36

そんな技が通用するとでもおもったのか？

こどもの考えた技だぞ

そうとうあせってるんじゃないか？

！！！！！！！！！！

ぬ…

こらっ…！！さっさととどめをさしてしまえ！！

まだブウをおこらせて楽しむつもりか…！！

く…くそ…！強くなりすぎてしまったようじゃ…

おろかものめ……策におぼれるとろくなことにはならんぞ……！

ぬおおおおおっ！！！！

40

な…なんだ
この地響きは
…………

悟空さんが
闘っている
音でしょう…

…げ！
こ…こんな
とこまで
きこえて
…!?

ぐ…!!!

え？

コーヒー
キャンディは
好きか？

おい…
………

まだよく
わかってないよう
だから
ハッキリ教えて
やろうか？

ムダなんだよ
オレに勝とうなんて
きさまなんかが
どうがんばったって

42

44

47

ブウの中の悟空とベジータ

やった──っ！！！
はっはっは──っ
ざまみろ──ッ！！！
バカヤロ──ッ！！！

えらそうにしやがって……！！！
だがもうこれでおわりだ──っ！！！
くそったれ──っ！！！

……いや
……わからんぞ

…お……
…おわった

……
……

…ちょっと変だとはおもわんか？

…魔人ブウはこれまで戦士を吸収するたびにパワーをアップし姿を変えてきた
じゃが今回は

え……！？

……かわっていない……

どういうことですか！？

だはははは……！！！

50

よくは……
わからん…
……ちがうかも
しれんが……

……もし
そうだとしたら……
あ…あやつ
……たいしたもんじゃ

……む？

はっは～～

ふん……
どちらにしても
あいつはオレに
吸収され…

オレは
まちがいなく
あらゆる世界で
ならぶ者のない
最強の魔人に
なった……！

それで
いい……

……おか
しいな
……

…変化が
ない…

もう
だれひとり
オレのジャマを
する者は存在しない！！！

おもうぞんぶん
生あるものの
死と苦しみを
楽しんでやる
――っ！！！

……なぜだ
……

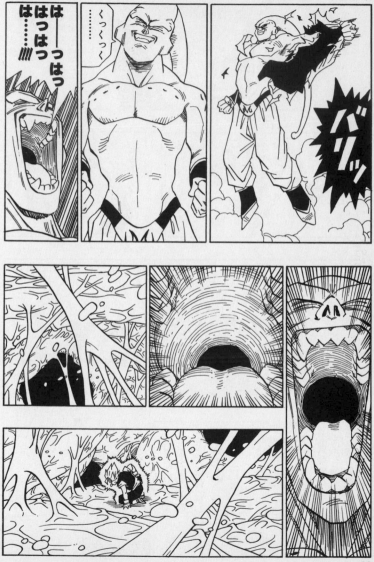

はっはっはっは……！！！

はっはっは……はっはっは……！！！

はっはっはっは……！！！

うるっせえな……！！

いつまでもバカみたいにわらいやがって

あのヤローの中にいるからやかましくてしょうがない！

それにしてもバリヤーはやっぱりうまくいったようだな

ヤツに吸収されずにすんだ…！

よしもういいだろバリヤーをといて悟飯たちをさがさないと

ブウの中がどうなってるのかさっぱりだがみつかるかな…

死んでなきゃいいが……

あ…あれ!?
なんでバリヤーを
といたとたん
合体が……

…しるか…!
そんなこと

おっかしいな～～～っ!
ポタラで いちど合体したら
もうにどと もとのふたりには
もどれないって
いってたのに…!!

そんなこと
いってやったな

…そういや
…だとしたら
こうなって ラッキーだったぜ!
ききさまとの合体だなんて
もうにどと ごめんだ

ピッ

パラ
パラ…

ビキキ!

おい なにすんだ!
ポタラをとるなよ!

ブウのカラダから
出たら また合体
できるとおもうぜ!

たぶん
この中のイヤな空気が
合体をダメに…!

お……!!
なんてことを
もう にどと合体
できないじゃ
ないかよ!!

それに おまえは
死んでるんだぞ!!
もう合体してなかったら
また あの世に
もどるしかないじゃ
ないか!!

55

ふん……ききさまと合体しているよりは……ましだ……

それに……もう合体など必要ないだろ

そんなこと わからねえぞ!!吸収されたみんなを ここからうまく救い出してブウを いちばん最初のヤツにもどせるなんて保証は……!!

……だったら連中をさがしてうまくいくように願うんだな

さっさと連中をさがしてうまくいくように願うんだな

……!
しらねえぞ

グシグシ…

ピッ

ちぇ…

さあ はやくしろ!ブウは 地球を吹っとばすつもりかもしれんのだぞ

あ!

ん…

あ……

ポ……ポタラを…

おい カカロット!!

こっちだ!!いたぞ!!

え!?

無敵となった
記念に消してやるぞ

こんな
星……

チビたちの合体もオレたちみたいにわかれてふたりになっているぞ

いやこれはフュージョンの30分がすぎてからふたりにわかれたんだ

ゴテンクスを吸収したときブウはたしかにフュージョンの特徴をもっていた…

…てことはこの中でもフュージョンならオーケーってことか…

ジャマだどけ！

はやくこいつらをひっぺがすぞ

ブチッ

おう！

ドウッ

あがっ!!!!

ヒャッホーッ!!! ブウがもとにもどってるー!!!

いいぞ いいぞ いいぞ!!!

なな‥なに!? こ‥これは‥

ま‥まさか‥

‥‥‥‥‥

へっへ〜〜っ! これでブウのパワーはかなりおちたはずだぜ! もう一息だ!

ほらほら さっきと気の大きさがぜんぜんちがうぜ!

よし! ここをぶっとばして脱出だ!

まてよ! いくらブウがずいぶんもとにもどったっていってもそれでもオレたちにはとても かなわない強さなんだぞ!

このまま外にでたらぜったいにやられちまう‥!!

じゃあ ほかにどうしろっていうんだ!

だから おめえがポタラをこわしちまうからさ〜っ!

え!?

60

ジョーダンじゃねえ
見ていたんだ…
オレはあの世で

え？知ってん
の

…でもよ
ひとつだけ
勝てる方法が
あるんだよな～

フュージョンと
いいたいん
だろ！！！
それがなにか
知っているぞ！！

だいたい合体は
あんなみっともない
ボーズが
できるか…！！
にどとゴメンだと
はずだ

え？

おい…

こいつは
どういうこと
なんだ…？

へ…？
なんだよ

……？

……？

…こいつも
吸収されたって
ことか！？
おい！自分に…
ひっぺがして
みようか！

へ…え～～～
ブウの中に
またブウが
……？

ま…
魔人ブウ…！！

…いちばん
最初のヤツ
だ！！

ズズズ…

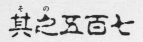

ブウの中のブウとブウ

よ———し！！
くるならこい
おめえの
このカラダの中に
でかい穴を
あけてやるぜ！！

ボッ

ボッ

ボッ

な…
なに笑って
やがるんだよ

あけられねえ
とでも
おもってんのか？

ニヒ…

なめんなよ

ムリだ

68

か…かかか……
あ…ああ……

おおいっ!!
なんだかそこらじゅうが
グニョグニョ
うごきだしたぞ!!

変身
するんだ
ろうぜ!!

あのデブか
ガリかにな
!!!

みろよ!!
むこうが
すこし
明るい!!

外の光じゃないか!!

ベジータ
!!!

ちくしょう
……!!!

どこだ
出口は……!!!

あいた!!!
いまだっ!!!

くそ
〜〜っ!!

閉と
じ
て
るぞ
!!

もう
いちど
あけっ!!

やった!!

シャッ
シャッ

とりあえず
こいつらを
かくせっ!!

やった!!
みんな元に
もどったぞ!!

プウはまだ
気づいてない
……っ!!

あっ
…!!

えっ!?

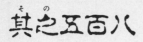

純粋の魔人ブウ

ど…
どういう
ことじゃ…

わ…わたしの時代には
5人の界王神が
いました…
魔導士ビビディの
つくりだした魔人ブウに
倒されるまでは……
わたしは いちばん若く
非力だったのですが
大ケガだけでなんとか
助かりました……

…ですが
4人は ブウの
手にかかり…

…まず
二人が…
殺されました…
北の界王神と
西の界王神が

…そして
一番たくましく
強かった
南の界王神は…

…なんと
ブウに
吸収されて
しまったのです……

さっきの
でかい魔人ブウに
なったのじゃな？

……はい

…つぎに
吸収されてしまったのは
ふとっていたけどやさしく
温和な大界王神さまでした
魔人ブウは
ビビディのつくりだした
邪悪そのもので
魔人ブウ本人の手にも
おえない失敗作だったの
ですが
大界王神さまを
吸収したことでなんとか
コントロールできるように
なったのです…

…やっと
完成したわけじゃな

…と
いうことじゃ…
いまの…あの
ちいさな魔人ブウは…
最初の…
いちばんやっかいな
ヤツじゃと…

…はい…吸収に
よって
パワーを
減らしてまで
手に入れた心が…
またもとにもどって
しまった。

…自制心が
まったくない…
悪そのものの
存在に…

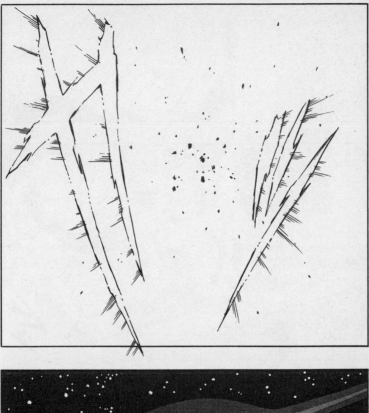

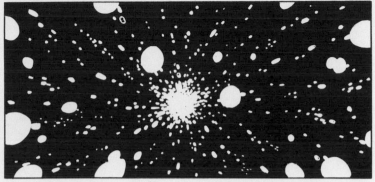

よ……！
よかった‼
まにあったか

……‼
まにあったか

‼

ズザザアッ

カ…
カカロット…
てめえ…

……‼

……なんで
トランクスたちより先に
こんなやつらと犬なんか
助けやがった…！

こ…
ここは…

天国…⁉

こ…
ここは…

ち…地球や
悟飯たちは

オ…オラたちは
まにあったが…

全宇宙を賭けた試合

あ…あのお方は
おそらく界王神様ですよ…！
いいですか
神様の上が界王
そのまた上が大界王
さらにその頂点に立たれるのが
あのお二人…
界王神さまなのです…！

聖地
界王神界

…そしてここは
地球ではなくたぶん

??
??
???

はは…ん！
じょうだんきついぞ！
そんなすごいヤツなら
なんでブウを
なんとかしないんだ！？

だいたい
おまえが
神様だってのも
あやしいもんだ

いたい
ところを
つくのう！
あいつっ！

！あ…

そうか！

やっとわかった！！！
こいつは
夢なんだ！！

そうだ！！
夢だよ！！

はっはーっ
夢！！

おかしいと
おもったぜ〜
世界チャンピオンのオレより
強いヤツなんか存在するわけ
ないんだよな〜〜〜〜っ

……んだ
魔人ブウなんて
いないしこいつらも
夢の中の変なキャラクター
だ　そもそも天下一武道会の
あたりから
おかしかった…

タタタタタン

…！…

そうだ！！
夢だったらオレも
空飛んでみよーっと！！

とおっ!!!

バンッ

このミスター・サタン様が宇宙を飛んで行き退治してくれるぞっ!!!

オラオラオラ 魔人ブウ!!! 夢の中だけどよくも娘のビーデルを殺しオレの地球をふっとばしやがったな!!!

…カカロット…てめえはあんなバカのかわりにせっかく助けた仲間を見殺しにしやがったんだぞ…

い…いたい〜っ!!

うっ うおお…!! ゆ 夢なのにいたい〜〜っ!!

ドンッ

あ あれはまじめなナメック星人だけに許された反則技みたいなもんじゃ!!

なっ なんで地球にドラゴンボールがあったんじゃ!?

いいわけいいわけ

ドラゴンボール!?

なに!?

…もう地球も死んだ連中もにどともどれないそうだろ…頼みの綱のドラゴンボールも地球とともに消えてしまったんだ…

そうだ!!!

そ

そうじゃないですか!!!
ボクの故郷の
ナメック星に行けば
きっとまた
新しい最長老さまが
ドラゴンボールを
作ってるとおもいますよ!!

もどれますよ!!
地球も
ブウに殺された
たくさんのみんなも!!!

…いや
待てよデンデ
ナメック星は
ちょっと
とおいな……
あんましでかくねえし
ナメック星人の気も
ムリだ…あそこまで
瞬間移動は
できねえよ

宇宙船も
もう
ねえしよ…

そっ
そうか!!

？

あの…
そのドラゴンボールと
いうものが
どういうもの
かは
いまひとつよく
わからないのですが

わたしは
この界王神界と
下の星々との間の
瞬間移動なら
できますよ

さっきも
見たでしょう
これはキビトの得意な
技術なのです

ま
待て!!
ドラゴンボールなんぞ
使っては
いかん!!
あれは大自然の混乱を
まねくものじゃ!!
大昔に
ナメック星でしか
使うなと注意
したことがある!!

事実
ナメック星人たちは
ぜったいに
異星でのこと
には使わなかったはず

い
いいぞ!!!

やったぁ
!!!

むう…
…………

だからドラゴンボールで生きかえるんじゃないの〜〜！

ほら〜〜ほしいでしょ！？…ちょっと若くはないけど〜〜まだまだプリプリだよ

…ふんでもそのオナゴは殺されてしもうたじゃろ

…そんなかたいこというなよ〜〜うまくいったら知りあいの女の子のさホッカホカのエッチな写真撮ってその生写真あげっからさ〜〜

こ殺されちまうって〜〜

いやあいつはプリプリじゃねえし…

人の妻を！！！自分の妻をやりゃ〜いいだろ！！チチの乳の写真を！！

やっぱりきさまかってに

うむ…プリプリの年増女の…

え！？

…カカロットその女とはまさかブルマのことじゃないんだろな…

え！？

ごらんなさい！！！こんなになった魔人ブウが元にもどりますよ！！

プリプリか〜〜…

はっ！！！

サイヤ人だ

…よく
いったな
カカロット

"ギギ…"

それこそ
が……

おまえたちは
ブウと格闘技の試合を
しとるわけじゃないんじゃぞ!!!

ババカもの!!
なにをいっとるんだ
こっ こんなばあいに!!

だいじょうぶ
心配すんなって あいつは
ここまで来れやしねえ
なんか作戦を考えるさ

そのあいだ
犠牲になった宇宙人には
わるいんだが あとで
ドラゴンボールで…な

…!!

ビッ

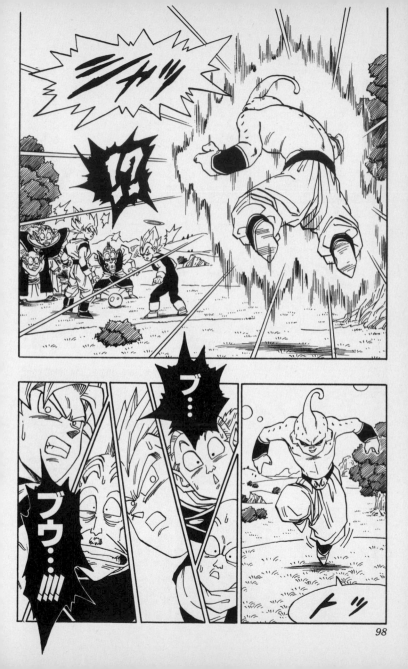

98

ハハアッ

そ…そうか…
あのやろう
さっきの
界王神さまの
瞬間移動を
みて……!!

なっ なんで
あいつが
…ここへ…!!

あ…あんな一瞬
で
技をまねやがった
な…!!!

…まあいい
どっちにしても
やるんだ…

ここで
終わらせて
やる…

たのむ!!
みんなをつれて
どっかの星に
行ってってくれ
!!

え!?
…はい

え…えい
くそ…!
しょうがない
やつらじゃ…!!
こここの
界王界は
めったなことでは
こわれはせん
おもいっきり
やれい!!

が…がんばって
……!!

ヨッシャーッ!!!

イエーーイ!!!

ち…

アッ…アホタレ—ッ!!

ひとりずつ闘うつもりかーっ!!!

ふたりで闘わんかいっ!!!

よーし！はなっから全開でとばさねえとな…！オラたちがやられたら全宇宙がパアだ…

この目でみせてもらうぞ超サイヤ人3というのを…

…今だからいうけどほんとはあのときふとっちょの魔人ブウなら超サイヤ人3でたおせていたんだ…

だが若いやつらになんとかしてほしかったんだ…これからの地球のためにも…

いいのか？おめえの出番がなくなるかもしれねえぞ

ぬっ…!!

こ こいつか…!!

ウホウホウオッ
ホホホ———ッ!!!!

ホォ———ッ

…かまわん
ほっとけ…

…！…！

あ！しまった!!
ああのサタンとか
いう人間を
わすれてきて
しまいました!!

ん？

へ……
……変なヤツ

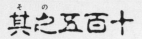

ベジータとカカロット

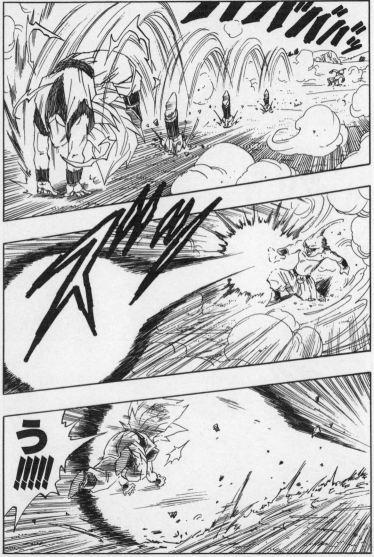

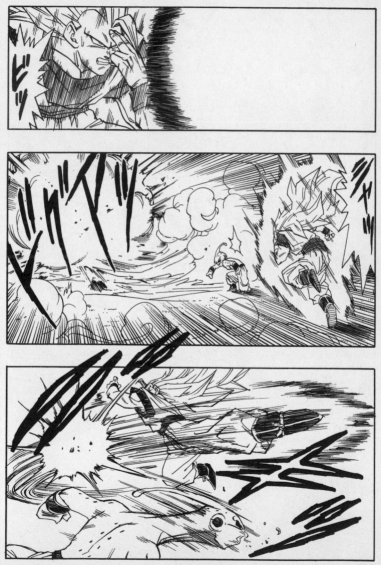

カカロット…
すごいヤツだよ
おまえは…

…あの
魔人ブウは
オレには
とてもかなう相手じゃ
なかった…

あいつと
闘えるのは
おまえだけだ
…

…なんとなく
わかった気が
する……

…なぜ
天才であるはずの
オレがおまえに
かなわないのか…

守りたいものが
あるからだと
おもっていた…

守りたいという
強い心が
得体の知れない
力を生みだしているのだと

たしかにそれもあるかも
しれないが それは
今のオレも おなじことだ…

…オレは
オレの思いどおりに
するために…
楽しみのために…
敵を殺すために…
そしてプライドのために
闘ってきた…

だが…
あいつはちがう…
勝つために闘うんじゃない
ぜったい負けないために
限界を極め続け
闘うんだ…!
…だから相手の命を
絶つことに
こだわりはしない…

…あいつはついにこのオレを殺しはしなかった

…まるで今のオレがほんのすこしだけ人の心を持つようになるのがわかっていたかのように…

…アタマにくるぜ…！

闘いが大好きでやさしいサイヤ人なんてよォ…！！

・・・・・

ズドドドド

がんばれカカロット…

おまえがナンバー1だ！！

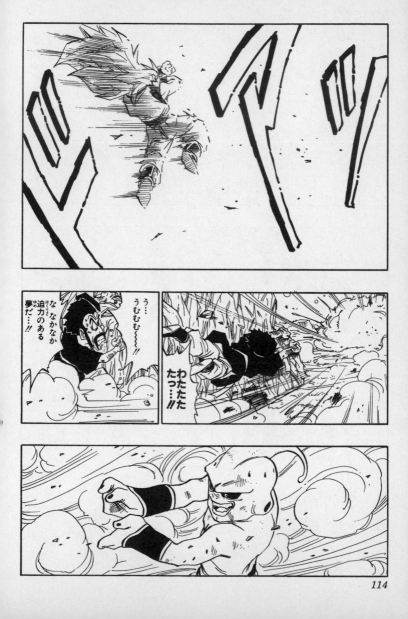

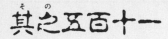

其之五百十一

命懸けのベジータ

だったら
はやくしろ!!!

おめえが
ブウを
くいとめてる
あいだに
気を溜める…!?

い……
1分
かかるんだ
ぞ……

わ
わかった…!!

いいか…
おめえは
いま
死んでる
状態だ…

そんなヤツが
もういちど死んだら
どうなんのか
知ってるか?…

消えちまうんだ
この世からも
あの世からも
おめえは
存在
しなくなる…

シャアッ
シャアッ

ギュウッ

う…がっ…!!!!

お…ご…!!

…ご…!!

ブウ———ッ!!!!

…………ち…
…ちくしょう
…………!!

…っとも 気が
……ちっとも 気が
溜まらねえ!!
どうなってんだ……!!

あ…あいっ
殺されちまう
ぞ……!!!

128

オラオラオラッ!!
だまってみてたら
いい気になりおって!!

この全世界格闘技チャンピオンのミスター・サタンさまがきさまの非道をだまって見すごすとおもうかっ!!!

成敗してくれる!!!覚悟しろ!!!きさまもあいてが悪かったとすぐに後悔することになるぞ!!!

ハ…

…ガハッ…

…ガ…

シュルッ

ドサッ

夢なのが惜しいぐらいはげしくきまった!!!

きまった!!!

130

次は、其之五百十二 超サイヤ人3消える

だっはっは——っ!!!

ア…アガ
ガガ………

それそれ!!
わたしの気魄パワーで
もっと
苦しめ!!
え——い!!

な…なぜだ…!?
なぜミスター・サタンが
登場してから
ブウが……

…もしかして
ほんとうに
サタンの
気魄で……

え？

モモム

カ…カカロット…!!
…いつまで
かかるんだ…
まだ…か…!

わ…わかってる…!
わかってるが…
変なんだ…

ほ ほとんど
フルパワーちかくまで
気は溜まったんだが…

…ま…また
溜めた気が
〜減りはじめてる…!

136

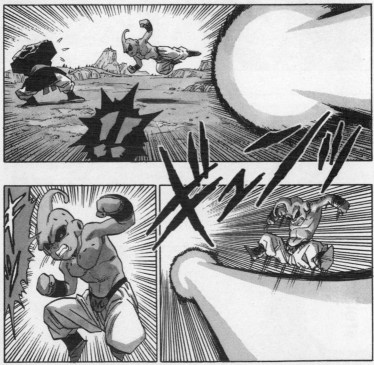

142

144

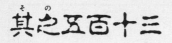

ベジータの考え

バカヤロー……！
てめえ
気を溜めるどころか
ふ……ふつうに
もどっちまい
やがって……

はあっ

はあっ

ち……ちくしょう……
死んでたときは
ぜんぜんへっちゃら
だったのに……

や……やっぱし
生身で
超サイヤ人3に
なるとやたら
気をくっちまうらしい

……
ま……
まいったなあ
……

……
……
……

……
さすがに
まいった……

チッチッ
チ…

149

……
……
……
……

はあっ
……
はあっ
……

ま……
まずいぞ
あれじゃあ
やられるのも
時間の問題だ

……界王神たち　デンデ！
あの玉で　この状況を
みてやがるんだろ…！？

きこえるか！？
このオレの声が…
きこえたら
返事をしゃがれ…！

え！？

あ…ああ
きこえとるが
……！？

よし…！

…じゃあ
いますぐ
復活した
ナメック星に行って
ドラゴンボールを
かき集めてこい！

ガタガタ
いわずに
さっさとしろ！！
まにあわなく
なるぞ！！

あ…あの…
いったい
どう…

ヒュッ

え!?

え!?

待っておったぞ

どうじゃ　デンデ
もとどおりに
なったじゃろ
この星も…

これは
これは

界王神さまも
ようこそ
いらっしゃい
ました

み
…みんな
……!!

さあ
いそぎましょう

事情は
すべて
わかって
おりません

べ、ベジータさん!!
ドラゴンボールは
もう1個ぜんぶ
集まってます!!

そ、
そうか
!!

あっ
ありがとう!!
もう集めて
くれてたん
ですね!!

さっそく
ナメック星の神龍を
呼びだしてくれ!!

かなえてほしい願いはふたつ!!
まず破壊された地球をもとどおりに
もどしてほしいこと つぎに
あの天下一武道会のあった日から
死んだ者すべてを 極悪人をのぞいて
生きかえらせてほしいこと
このふたつだ!!

え…!?

…で…
でも…
それは…

…い…
いま
すぐですか!?
…そ…その
願い

でも…
それは…

…そうだ!!
いますぐ
だ!!

デンデ
ベジータには
なにか
考えが
あるらしい
そして
やって
くれ

は…
…はい
…!

…ベジータ…
ふたつめの
願いさあ…
ブウに殺された
ヤツを
生きかえらせて
いったほうが

…ベジータ…
ふたつめの
願いさあ…

…あの
みっつめの
願いは…?

わかり
やすいんじゃ
ねえか?

さっきの
ふたついがいは
どうでもいい!!

スキに
しろ!!

…あ…

…お…おめえ…
けっこう
考えてんだな…

…それに
それでは
武道会場で
オレに
殺された連中は
生きかえれない…

…バカめ
バビディや
ダーブラとかまで
生きかえって
しまうぞ…

ああっ!!!
ダッダメだ!!

ベジータさんっ!!
そういえば
ポルンガ
この神龍の
願いで
生きかえられるのは
たったのひとり
でした!!!

154

なっ
なに!?

そっ!?

そっ そういえば
そうだよ…!!

えっ!!

それじゃ
なん人でも
!?

はっはっは…
その心配は無用じゃ
フリーザのことがあってから
わたしは神龍の願いを
パワーアップさせておいた

くぅぅ〜
こ…
こいつら…!!
自然のなりゆきを
メチャメチャに
しおって…!!

だっ
だいじょうぶ
だそうです!!

…………
よかった

さあ
はじめて
くれ!!

ブーン

!?

ゐℚℇ⅁⋔ Ⅵ⊙
Ⅎ|Ⅿℇⅎⅉ Ⅎℝ⅏ⅅ
Ⅎℕ|ℙℚⅆⅩⅪⅲℚℸ

さあ　願いをいうがいい
どんな願いもみっつだけ
かなえてやろう

うっ…

うわわわ
わ……!!

蘇った地球人へのメッセージ

わかった

…………

だがすこしま
ってくれ…
数が多いので
たいへんだ…

え…え…と…
どういったら
いいかな…

なにやらひそひそ…

あの…魔導士バビディが
地球にやってきた日から
死んでしまった人達を
生きかえらせてください！
うんと悪いヤツを
除いて…！

は
い
…

な
…
なん
と…

そんなことが
可能なのか
…………⁉

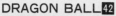

デプのパワーが
減ってきている…
ブウ同士だと
ダメージを
うけるんだ…

…やばいぞ
…気づいたか
カカロット…

ああ
…………

まだかデンデ…!!
まだ願いはかなわんのか!!

うるさいのう
そうギャーギャー
わめくな

ボルンガ
〈神龍も〈苦労しとるん
じゃ

待たせたな

ふたつめの
願いは
かなえられた

フッ

お
!!

みんな
生きかえりましたよ!!!

ベジータさん!!!

あっ!!
ベジータの
アタマの輪も
とれた!!
生きかえったんだ!!

よかったなーっ
おめえ
極悪人じゃねえって
おもわれてるぞ!

．．．．．．

オ．．．
オレ．．．って．．．

ブ．．．ブウに
殺され
なかったっけ．．．

あ．．．
あら．．．!?

ザワ

ザワ

FORESA

元気玉の用意だ！

元気玉！？

元気玉だって！？

おい！おめえの考えてる元気玉のことだったのか！？

ムムリだそりゃムリだよ！ブウがあいてじゃいくらちょっとずつ元気を集めたって…

地球人みんなから集めたって…

いっただろたまには地球のヤツらにも責任をとらせろと…！

すこしずつではないギリギリまで元気を集めさせてもらうんだ！

ベジータさん神龍がみっつめの願いをいえと…

みっつめはどうでもいい！おい界王神はきいてるか！？地球の連中全員に話がしたいなんとかしてくれ！

バビディみたいにですか！？そ…そいつはちょっとムリですよ…

え？

なんだと！？

そいつはわしにまかせろ得意技じゃ！

だだれだ！？

ベジータとやら決め技に わしの元気玉を選んだところは ナイスだぞ!

さあ 話せ!!

地球どころか 宇宙じゅうにだって話ができるぞ!

あたりじゃ

界王さまだろ!!

この声は

助かったぜ

きこえるか世界の人間ども……!!

オレはあるところからおまえたちに話しかけている

わかっているだろうがおまえたちのほとんどは魔人ブウに殺された

…だがある不思議な力で生きかえらせてもらったんだ

町や家などもすっかりもとにもどったはずだ

え!?ゆ…夢じゃないって…!?

なにしゃべってるんだあいつは

し—!

地球のみんなにしゃべってんだよ

……だがこいつはけっして夢なんかじゃないぞ!

や…やっぱり夢だ……！

おぉいおまえらそんなくだらんボケをかましてるヒマがあったらブウを助けてやってくれよ…!!

いまあるところでおまえたちにかわって魔人ブウと闘っている戦士がいる!!

そこでおまえたちの力を借りたい…!!

たが正直いって情勢はかなり悪いといえる！魔人ブウの強さはあのセルをもはるかに上まわるんだ…!

!!

しーっ

ベジータよ!!ベジータ!!の声だわ!!なんで!?

…………

な…なんちゅうたのみかたのヘタなやつじゃ…

手を空にむけてあげろ!!

おまえたちの力を集めてブウを倒すんだ!!

かなり疲れるが心配するな！おもいっきり走った後とおなじような もんだ！

さあやれ！手をあげろ!!

よしカカロット!!はじめろ!!

おう!!

ビリッビリッ

やるなベジータ

みなおしたぜ！

バッ

バンッ

バッ

ババッ

みんな!!

オラに元気を可能なかぎりわけてくれ！

たのむ！

これでいいのか？

そらーっ
もってけ
もってけーっ

え!?

え!?

そうか
元気玉だ!!

わかったよ
パパ!!

ふんベジータめ…らしくないマネをしやがるぜ…

…だだがまだ完全じゃない…

な……なぜだ……！

おい手をあげろってよ

あやしい声だったぜ

だれが手なんかあげるか

だまされるな！

なにものなんだ？

そんなことしたってなんになるんだ!?

夢だよな…これ…！！

ち…ちくしょう……！！

うおほっきたきた!!

いきなりでけえぞっ!!

こいつは悟飯たちの気だっ!!

集まらない元気玉の元気

わかってる!!

どいつもこいつもオレのいうことなんか信用しやがらないんだ!!

やい地球人ども!!!さっさと協力しやがれ!!!また魔人ブウに殺されたいのか!!!

これは夢でもなんでもないぞマジなんだ!!!たまにはきさまらも力を貸せ!!!

おいっ　ブウを消すにはこれでもたぶんまだたりねえぞ!!

なにやってんだ!!オラたちの仲間以外ほとんど気をくれてねえじゃねえか!!

174

カカロット‼︎
オレが なんとか
すこしでも 時間を
稼ぐ‼︎

あとは きさまが
地球のバカどもを
説得しろ‼︎

時間を
稼ぐったって…

おめえは 生き返っただけで
気は まだ十分じゃ
ねえじゃねえか‼︎

はやくしてくれみんな──っ!!!

地球も宇宙もどうなってもいいのか!?バッキャローッ!!!

なんだとバカヤローだと!?

あんなの無視無視!

一人にたのむのにでかい態度だぜ

もしかしたら魔人ブウのことも…ぜんぶほんとは なかったんじゃないか!?

そうか!!集団催眠術にかけられてたのかも…

えっ サタン!?

おおいたしかにミスター・サタンの声だぜ

…え……!?ど、どういうことなの!?

き きさまらいいかげんにしろ──っ!!!

さっさと協力しないか──っ!!!

このミスター・サタンさまのたのみもきけんというのか!!!

ザワザワ…

も……もしかしてブウと闘ってるって…ミスター・サタンだったんですか!?

サタンだ!!…ミスター・サタンだ!!

そっ…そうだ!!!

オレが魔人ブウを倒してやるからおまえたちもはやく力を貸さんかっ!!!

184

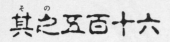

決着

やれ——っ!!!

さっさとかたづけちまえ——っ!!!

べ…ベジータがいねえ…!!

ガアッ

やるじゃねえかサタン!!!

おめえはホントに世界の…

救世主かもな!!!!

ち…
ちきしょう…
ぐ……ぐぐ
……………!!!

ちきしょう…
……ちきしょう
…!!!

あ…あと
ちょっと…

…あと
ちょっと
なのに…!!!

け…計算が
ちがった…！

かんじんの元気玉を
撃つカカロットに
た…体力が
たりん…！

え…！？

ま…まずいぞ
も…もしかすると
あ…あの元気玉
とかいうヤッが
まだちょっと
パワー不足
なのかも……

そ…そんな…！
も…もう
ボクたちの気も
使っちゃったし……

が…がんばらんかい
孫悟空…！！

ハア
ハア
ハア
ハア
ハア

そ…その
元気玉には
わしら
あの世のパワーも
込められとるん
じゃぞ…！！

194

か…界王神さま ボボクを 悟空さんの ところまで つれてって ください…!! せめて た 体力をもどして あげれば…

す…すまない… いまので 体力を 使ってしまって… 回復するまで 瞬間移動は ム…ムリなのだ…

そっ そうだ!! 神龍さん!!

いま 界王神界で 魔人ブウと闘っている 孫悟空って人の体力を もとにもどしてあげる ことって できる!?

おーーい いつまで 持たせる つもりだ

最後の願いは まだなのか? なければ 消えさせて もらうぞ

!!

ﾝﾄｿﾒﾊ!! ﾑ ﾒﾎﾎ ﾅｲﾑｺﾘﾒ 妥ﾖ威!! よかった すすぐに お願いします!!

その者の体力を 通常にもどすだけなら 可能だ

クアッ

ガガ‥‥‥ッ

ヒュウウウ‥‥‥

‥‥‥ッ

てまどり
やがって‥‥

…ふん…

ふうっ

お…
…おわったあ

ス‥‥ッ

次は、其之五百十七　大団円　そして…

ついに魔人ブウは
消え去った……
それは文字通り
細胞ひとつ残さず
完全に消え去った
のである……

やったぞ——っ!!!

やったやった——っ!!!

やったぁ!!!

ど…どうです
か?

…うむ
どうやら
うまくやった
ようだ…

魔人ブウの気は
完全に消滅した…

や…
やったのか?

…やったん
だな?

はは……!!

地球の諸君!!
格闘技 世界チャンピオンの
ミスター・サタンだ!!

諸君の協力もあって
恐ろしい魔人ブウは
たったいま 死んだ!!!
もう安心だ!!
恐怖から解放されたのだーっ!!!

うおおおおーっ

サターン
サターン

サターン
サターン

サターン
サターン

さすが
悟空とベジータ
だぜ!!!

とにかく
やったぜ
っ!!

…んもう…
パパってば…

202

わっ わるいヤツに
なったのは
ババカなヤツが
ここの犬を
殺したからなんだ!!

たったのむよ
おねがいします!!
わたしが責任もって
わが家で保護するから
…!!

保護だと…!?

わるいヤツに
なったのは
きさまの力で
いったいなにが
できると
いうんだ!

わらわせるな
きさまの力で
いっしょに
死にたいのか!?

さっさと どけ!
きさまも
いっしょに
死にたいのか!?

ブウを
なおして
やってくれ
デンデ

なっ
なんだと!?
きさま正気か!!

まあ
いいじゃねえか
ベジータ
このブウも
ミスター・サタンも
よくやって
くれたさ

この
ふたりが
いなきゃ
オレたち
みんな
やられてたぜ

だろ?

…それに
万が一のことがあったら
また
闘やいいさ
こんどこそ
一対一でやっても
負けねえように
修行しようぜ

し…しかし…
地球で
いっしょに
暮らすのは
まずいでしょう…

地球人たちは
みんな
ブウの恐怖を
アタマに
焼きつけて
いる…

…なあに
あと半年ぐらい
ブウが
外に出ねえで
ガマンしてりゃ

ドラゴンボールが
復活するから
神龍にたのんで
地球のみんなから
ブウの記憶だけを
消してもらやいいさ

おもったとおりミスター・サタンは
またまた地球を救った
ウルトラスーパーヒーローと
いうことになってしまった…

半年後 約束どおり
関係者以外の人々から
ブウの記憶は消されたが
サタンがなにかから
世の中を救ったという記憶だけは
皆の心に残り あいかわらず
英雄であることに変わりは
なかったのである……

…そして
あれから
さらに
10年の
歳月が
流れた
……

キー…ン

…ちぇ…

ダメだ
やっぱ
こんなんじゃ
かったるいや

サイイ…ン

210

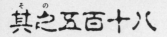

其之五百十八

そして10年後

★ 10年後のキャラクター早見表 ★

ブルマ

ベジータ
(変わってない)

孫悟空(変わってない)

チチ

ブウ
(今は魔人ブウではなく
ミスター・ブウという
ことになっている)

ブラ
(トランクスの妹)

トランクス

孫悟天
(よく悟空とまち
がえられたので
ヘアースタイル
を強引に変えた
らしい)

ミスター・サタン

ベエ
(10年前ブウが
助けたイヌ)

18号

クリリン

孫悟飯
(ついに学者
になった)

結婚

ビーデル

ヤムチャ

マーロン
(18号とクリリンの
子供)

亀仙人
(サングラスだけ変わった)

パン
(悟飯とビーデルの子供)

デンデ

ピッコロ
(変わってない)

はあっ
はあっ
はあっ

よお
ひさしぶり
だなー

はあっ
はあっ
はあっ

ひさしぶりなんて
もんじゃないわよ
ほんとにもーっ
あんた ほっとくと
永久に会いに
来ないんじゃないの!?

昔から
そういう
ヤツよ
あんたは

こうみえても
オクサマ
あんたたちサイヤ人は
バケモノよっ!!!

おだま
りっ!!!

はは
おめえ すっかり
オバサンだな

お若いですねって
いわれるんだから!!!

われわれ
サイヤ人は戦闘民族だ
闘うために
若い時代が
ながいんだ

ふん

こんど神龍に
たのんで若くして
もらおうかしら

そんなこと
ねえよー
5年ぐらい前に
会ったばっかじゃ
ねえか

みんな
時だって
あんただけ
修行するって
来ないじゃない!!

5年よ!!
5年
みんな集まる
時なんだって
あんただけ
来ないじゃ
ない!!

カカロット
おまえ あしたの
天下一武道会に出場
するってホントか？

すごそうなヤツが
でるからさ！

おう でるぜ！
きょう
決めたんだ
ベジータ
おめえも
でろよ

なぜだ…？
なぜ 今回に
限って とつぜん
出る気になった…

ずっと気になって
たんだが
そいつが 今朝
武道会場に
やってきてるんだ

なんだと！？
……
それほど強い気は
感じないぞ…

そりゃあ
今は ぜんぜん
気を
おさえてるさ

…ふん
じょうだんだろ？
そんなヤツが
いるはずがない…

！？
…まさか
宇宙人
なのか

…いやぁ
地球人さ

…でも
なんとなく
わかるんだ…
こいつは ぜったい
強いって…

あ！
トランクス
くん！

え～～～～！？
そんなこと
ありえないわ

！？…

あら なに あんたも きたの

うん

なんだよ悟天 修行してるらしいな おまえも出場するつもりなのか?

おとうさんが出ろっていうんだよ やだっていうのに強引なんだ……

あしたはデートの約束してたのにさ

まあ そう もんくばっかいうな

デートなんていつだってできるじゃねえか

ふん

おたがいわが子の軟弱ぶりには苦労するな

はは ほんとだ まあ 平和だってことだな

じいちゃん 地球をひとまわりしてきたよ!

タッ

キーン

あらパンちゃん!

よーし

いいぞ なかなか速かったな!

……もしかして…パンちゃんも武道会に出るつもりなのか?

うん! そうだよ

えー!?

たしか今の武道会は子供部門はなくなったんでしょ!? オトナにまじって試合する気!?

今回もいつもとおなじ作戦でいきましょう

ブウさんが挑戦者のチャンピオンになってスーパーチャンピオンのわたしと闘い負けてしまうということで

うん

例によってほかの挑戦者とやるときはおもいっきり力を抜いてくださいよ強すぎちゃうと、つぎから挑戦者がいなくなっちゃいますからね

ん?

ヨロヨロ

ん ん

わかったわかった

おじいちゃんの応援にわざわざきてくれたのかい!?

おうおうおう!!わたしのかわいいパンちゃんまで!!

悟空さん!!

おう!!これはこれは

よう

218

あたりまえだけどみんな予選とおった

え!?

わたしも試合にでるんだよ

悟空じいちゃんも悟天くんもトランクスくんもベジータおじちゃんもだよ

ほんと!?ほんとだね!?

心配すんなオレたちのだれかが勝ち残ったらあんたに優勝させてやっから

…でもオラたちやブウ以外のだれかが勝っちゃうかもな

はっはっはそんなことあるわけないじゃないっすか～～～

はっはっはまたまた～～～！

ねえサタンさんみんなも会場に来てんだけどもう席がないからなんとかしていってほしいっていってたけど

おーそっかそっかはっはっはわたしにまかせておけ!!

ワイワイ

ワイワイ

ガヤガヤ

ザワザワ

220

えー本戦の出場選手は12人ですがトーナメントで試合をしていただきます

最後まで勝ち残った選手がスーパーチャンピオンのミスター・サタンと闘って優勝が決まります

…おいこの中にものすごいヤツなんてホントにいるのか？

…さあおかしなヤローはいるけどね…

どいつだ？カカロット…教えろ

へへ…おたのしみだ

…では名前を呼ばれた選手からクジをひいてください

ブウクジの番号をインチキしてさ魔法で変えちゃってくれるか？

え？

ミスター・サタンもクジをひいてたころはたのまれてインチキやってたんだろ？

わかったいいぞ

ベジータ	孫 悟空	ミスター・ブウ（魔人ブウ）
トランクス	パン	孫 悟天
キラーノ	猛 血虎	ウーブ
キャプテン・チキン	ノック	オトコスキー

222

223

…ま…まさか

…あのガキが…
その生まれ変わりだと…!?

…うんまちがいねぇ
オラにはなんとなくわかるんだ…

名前だってほれ
ウーブってんだろ？
下から読んだら
ブーウじゃねぇか…

妙なぐうぜんだろ？

や…やっぱし
カアちゃんが
いってたとおりかも
しれねぇ…

…村では
とびきり
強くたって
世界ってとこは
うんと強くて
おいらより
強い人は
きっと
いっぱい
いるぞ…って

…ど…どうしよう…
ぜったい勝って賞金で食い物
たくさん買って帰るぞって
みんなにいっちまった…

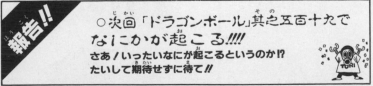

報告!!　○次回「ドラゴンボール」其之五百十たで
なにかが起こる!!!!!
さあ／いったいなにが起こるというのか!?
たいして期待せずに待て!!

むかしむかし……小さな出会いから
始まったこの物語は、やっと現代に帰ってきました。
これから先は、あなたたち自身の目で
そっと彼らのことを、のぞいてみてください。
けっこう楽しいから……
……というわけで、最終回です。

え——対戦相手
および対戦順は
このように決定
いたしました

…では　まもなく
試合が始まりますので
名前が呼ばれましたら
武舞台のほうにいらして
ください

優勝

ミスター・サタン

1　パン
2　盆血虎
3　孫悟空
4　ウーブ
5　キャプテン・チキン
6　キラーノ
7　ミスター・ブウ
8　孫悟天
9　トランクス
10　オトコスキー
11　ノック
12　ベジータ

それまでは休憩されても
ウォーミングアップ
されても
ご自由ですので

では
のちほど

そりゃ
ないよ〜!!

1回戦で
いきなり
ブウさんと
だなんて!!!

ふだんから
修行
さぼってばかり
いるから
こまることに
なるんだ

ふん!
泣きたいのは
こっちだぜ

オレさまの
あいては
こんなガキだぞ!
オレは保育園に
お遊戯しにきたわけじゃ
ないんだぞ!　くそったれ

みなさん
たいへん ながらく
おまたせ
いたしました!!

…さて今回も
賞金は
ミスター・サタン氏が
スポンサーに
なっていただいて
おります!!

いよいよ
天下一武道会の
始まりです!!
今大会の参加者は
114名その中から
選ばれた12名が…

わ
ー
ー
ー

サーターン
サーターン
サーターン

わ
ー
ー

きゃー!!
サタンの
孫よ…

ははははは

かわいー
がんばってね

で…でも
みっともねえ
ことに
かわりは
ねえぜ。

いじめるなよ
猛ー!!

は　は　は
ー
ー
ー
っ

ち…
ちく
しょう
…!

では
さっそく
第1試合を
始めましょう!!

わ
ー

わ
ー

うおおお

第1試合は
バン選手対
猛血虎選手です!!
バン選手は
驚くなかれ
たった4歳の天才少女で
あります!!
しか――んと
それも納得!
ミスター・サタンの
お孫さんなのです

対する猛選手は
前大会の準決勝で
おしくもミスター・ブウ選手に
敗れてしまった
身長2メートル30センチの
実力者であります!!

なんでよ
あんなチビが
予選通ったんだ?
いくらミスター・サタン
の孫だからって…

さあ…

…まあ　そりゃ
インチキでも
したんじゃないの?

だ…
だいじょうぶかな
パ…パンちゃん

ドォッ

おお〜〜〜〜っ!!

ペコッ

ビタッ

お〜〜っと!!
こっ……これは
……あ!だいじょうぶ!
まだ息があります!!
死んではいませんので
パン選手の勝ちですっ!!!

え?

はい

あ!

つぎはオラたちだな

…あるわけねーじゃん

ケガは
ないの!?

うん

だいじょうぶ
かいパン
ちゃん!!

だっ

よろしく
おねがい
します

さて第2試合の
対戦は
孫悟空選手対
ウーブ選手です!!

…ムリもねえよな
師匠なんていねえし
そんなこと考えたことも
なかったろう……

そうか　おめえまだ
空の飛びかたも
知らねえのか…

…！！

ヒッ

さっきは　悪口いって
わるかったな
ゆるしてくれ

おめえの
実力を
知りたかったんだ

え？

…………

やっぱ　おめえは
オラが　おもったとおりの
ヤツだった
さすがだ　すげえよ

オラが　これから
おめえんちに
いっしょに住んで
教えてやるよ
きめた！

え？で…でも…

だけど
力の使い方が
なっちゃいねえ
こんなふうに
闘ったことなんか
はじめてなんだろ？

オ…オレんち
貧乏だから
ム　ムリだよ
………
だ…だから賞金ほしくて
ムリしてここに
きたんだ…

240

ド"ギュ"ーン

ポカ
ーーーン

どどうなっ
てるんだ…？

おおい
どういうことだ！？
修行だって！？

う…
そう…！
そんな…！

い…
行っちゃった…

ひさしぶりに
見たな…

ふっふっふ…
カカロット
きさまの魂胆は
わかっているぞ…

あの
ブウの生まれ変わりの
ガキを修行してやるのは
ただ平和を守るため
だけじゃない…

あんな
うれしそうな
悟空は……

なあ ウーブ
おめえが修行して
完璧になったらさ

オラと
もういちど
ふたりで
ちゃんとした試合を
しような！

あ…
はい…

ホントいうとさ
オラは それが
いちばんの
目的なんだ！

242